多面的機能支払　活動実践マニュアル 7

流域治水で水害に挑む

田んぼダムで守ろう！私たちの地域と農業

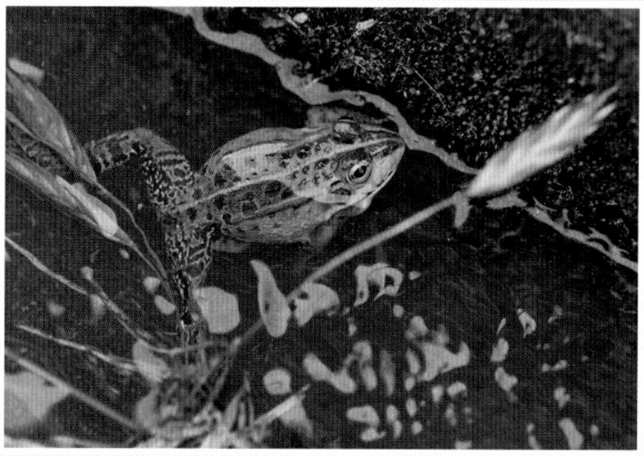

目　次

農文協

いま、なぜ田んぼダムが注目されるのか
～流域治水と田んぼダムの役割～

大雨による水害が増えている

近年、地球規模で温暖化の影響による気候変動が起きています。日本でも、年間の降水量は増加傾向にあり、短時間強雨（1時間に50mm以上の降雨）の回数もここ30年で1.4倍に増加、大雨により氾濫危険水位をこえる河川数も急増しています。大規模な水害も頻発しており、効果的な治水対策が求められています。

2015年9月の関東・東北豪雨では、鬼怒川が決壊し
茨城県常総市では約400haの田畑等が浸水した

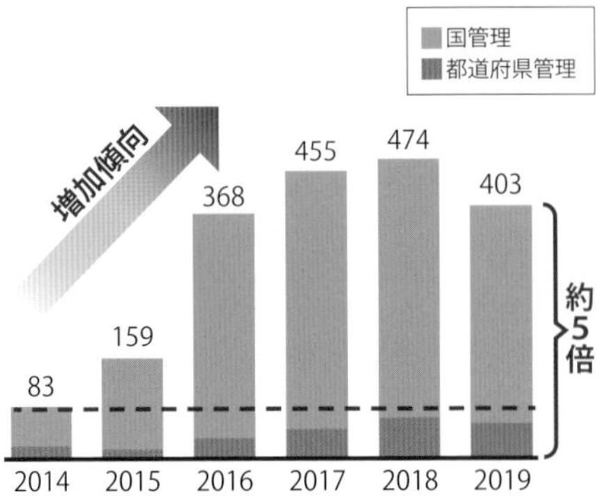

氾濫危険水域を超過した河川数

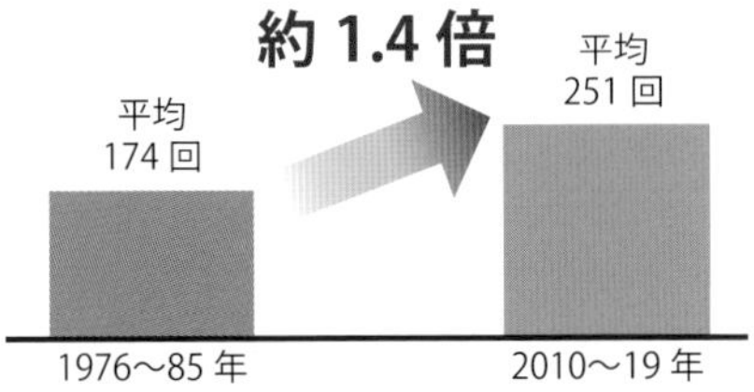

短時間強雨の年間発生回数

出典：国土交通省『総力戦で挑む防災・減災プロジェクト』

田んぼの貯水機能を活かし、流域全体で治水対策を

これまでの治水対策は、川の流量を確保する河川工事を行なったり、治水を目的としたダムを建設したりすることで、河川に集まる雨水を安全に下流に流すという考えのもとに行なわれてきました。

しかしこの方法は河川への負担が大きく、近年の激しさを増す水害に対応しきれない場面も出てきました。

ここにきて国も従来の河川整備中心の治水対策では限界があることを感じ、流域のあらゆる関係者の総力で水害に挑む「流域治水」の考え方を治水対策に取り入れてきています。

こうしたなかで、流域に広がる田んぼの貯水機能に注目し、これを活用した水害抑制システム「田んぼダム」の取り組みが全国的に広がってきています。

田んぼダムは短期間かつ低予算な水害対策として大きな効果が期待できる

流域治水とはなにか

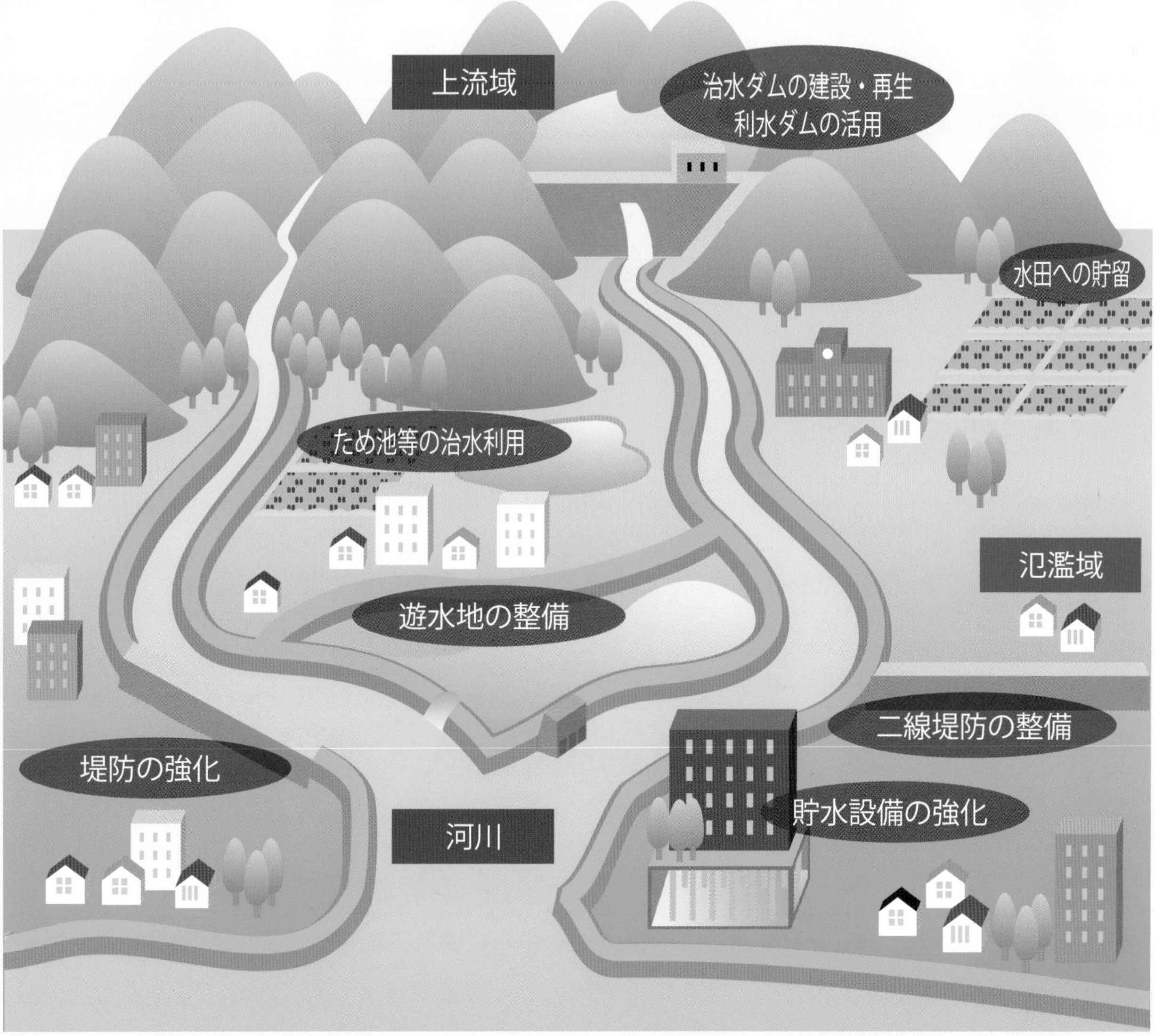

流域治水では、上流域、氾濫域、河川それぞれの区域の人々が水害対策に取り組む

流域とは降った雨が集まる範囲を指します。流域治水は、流域全体のあらゆる関係者が協力して被害を最小限に留めるための対策です。上流域においては、水田や森林などが持つ多様な機能を活用し雨水の貯留、浸透を促進。氾濫時に被害を受ける地域においては、高台への移動によるリスク回避、被害域を減らす二線堤（控え堤）の整備などによる減災。河川においては、治水ダムの建設・再生、利水ダムの活用、雨水排水施設等の整備、堤防強化等の対策などに総合的に取り組みます。

（参考：国土交通省『総力戦で挑む防災・減災プロジェクト』）

田んぼの貯水機能を活かす
～田んぼダムのしくみと効果～

田んぼダムとは

田んぼダムとは、田んぼがもともと持っている水を貯める機能を有効活用し、大雨が降った時、一時的に田んぼに雨水を貯めることで、排水路やその先の河川の水位が急に上がるのを抑える取り組みです。

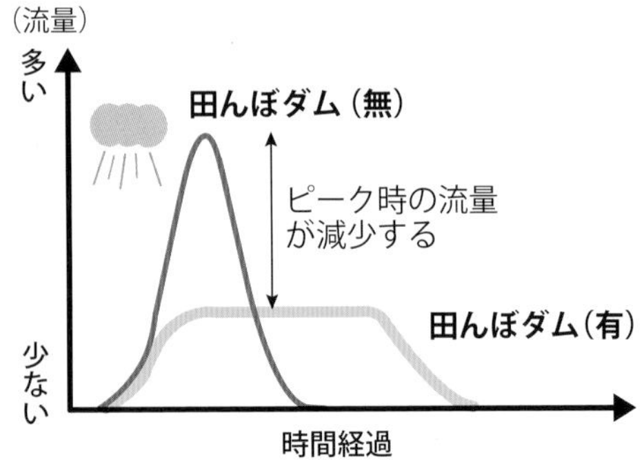

田んぼダムによる河川流量のピークカット効果
田んぼダムにより、大雨のピーク時の河川や排水路の排水量（流量）を減らすことができる

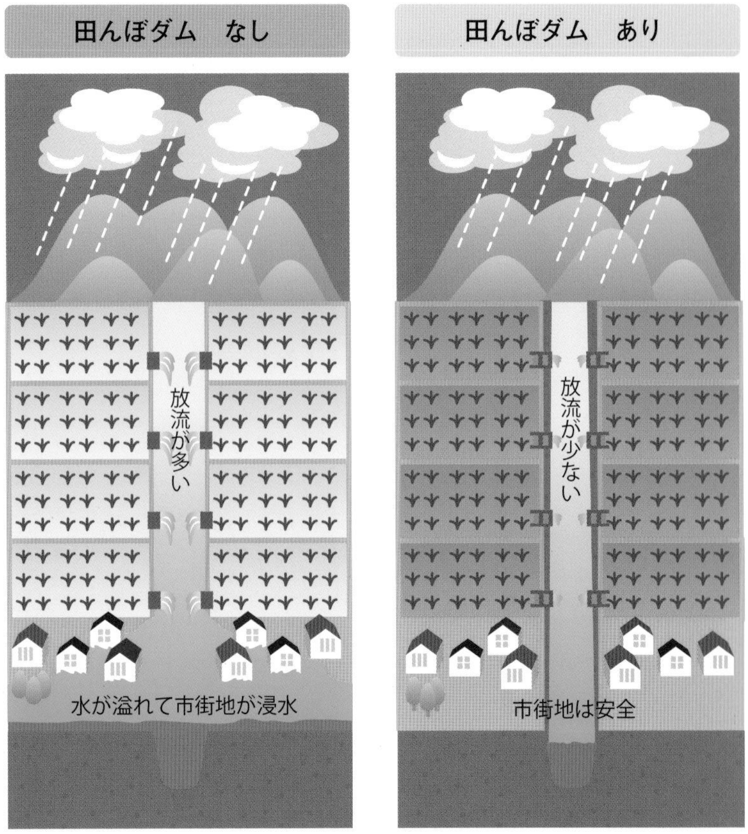

雨水を一時的に田んぼに貯めて放流を少なくすることで、排水路や河川の増水を抑えて水害を減らす

田んぼダムのしくみ

雨水を田んぼに貯めるといっても、田んぼの排水口を完全に閉じるのではなく、大雨時に排水口の流量を絞ることによって、雨で流入する水の量より排水される水の量を小さくし、その差分を田んぼに貯めて少しずつ流していきます。こうすることで一気に排水路や河川に水が流れ込むのを抑えることができるのです。

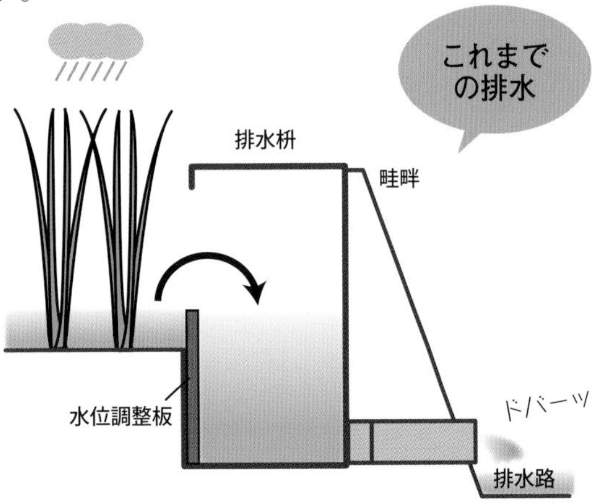

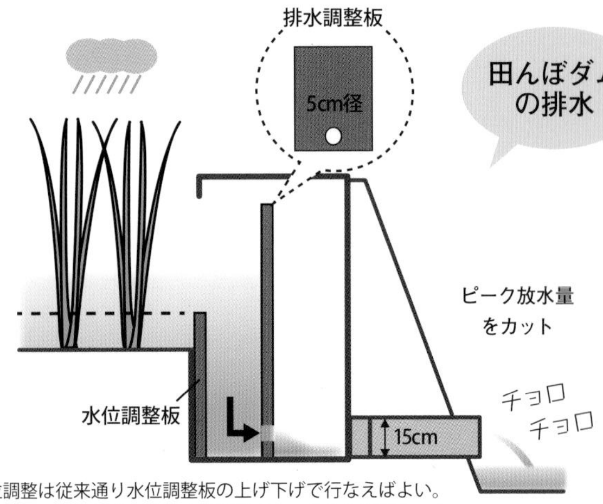

水位調整は従来通り水位調整板の上げ下げで行なえばよい。小さな雨では普段どおりの水管理ができ、大きな雨があったときに自律的に放流量が抑制されます。そのため基本的には、付け外しといった手間は不要です

田んぼダムでは雨水が水位調整板を超えて排水枡に流れ込み、排水調整板を通ってから排出される

災害時の浸水面積・量を半減！ ―田んぼダムの効果解析

田んぼダムを導入した場合の効果をシミュレーション解析した結果が公表されています（新潟大・宇都宮大・宇都宮白楊高校による）。

この解析では、2019 年の台風 19 号と同規模のものを想定し、宇都宮市内を流れる田川の流量や田川が決壊した場合の床上浸水面積などを予測。その結果によると、田んぼダムを実施しない場合は、床上浸水面積が 65.3ha となりますが、流域内のすべての水田で田んぼダムを実施した場合には、床上浸水面積が 38.5ha となり、被害を 26.8ha（41％）減らせることがわかりました。

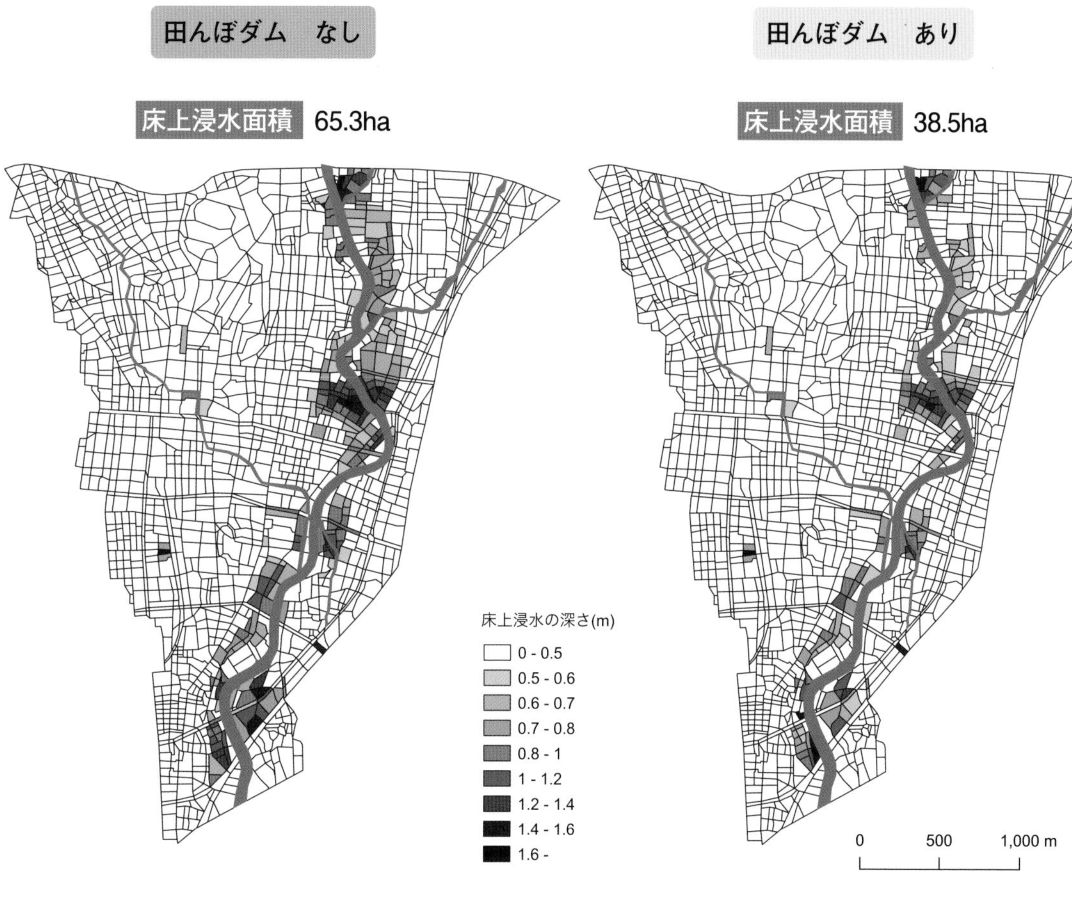

流域内の全水田で田んぼダムを実施した場合、床上浸水面積を26.8ha（41％）減らすことができる

原図：新潟大学農業利水学研究室

排水方法により装置はいろいろ
～田んぼダムの方法と装置～

営農に支障が出ないことが装置の基本

田んぼに水を貯めるだけなら、水位調整板などで設定水位を高くし、余分な雨水はオーバーフローさせるだけでも可能です。しかしこれでは、イネの生育に応じた通常の水管理以外に、大雨に合わせた水位調整が必要になり、余計な手間がかかってしまいます。

そこで、通常の水管理を続けていても、大雨になったときには自動的に田んぼダムの機能が発揮される「機能分離型」と呼ばれる方法が考案されています。以下に紹介する装置は、すべてこれに当てはまるものです。

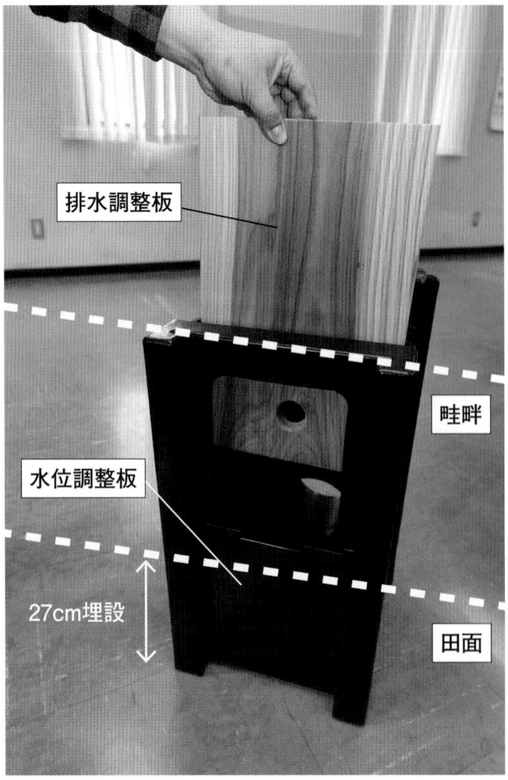

立板式の一つである軽量落水枡。水位の調整は手前の水位調整板で行ない、排水量の調整は排水調整板を差し込むことで行なう。普段から排水調整板は差しっぱなしでも、排水に問題は生じません。

軽量落水枡（新潟大学吉川教授監修）

流量の調整方法

落蓋式

排水枡の底に排水口があるタイプは、小さな穴の（直径5㎝程度）あいた調整板を排水口の上に重ねることで排水を調整する最も安価な方法です。

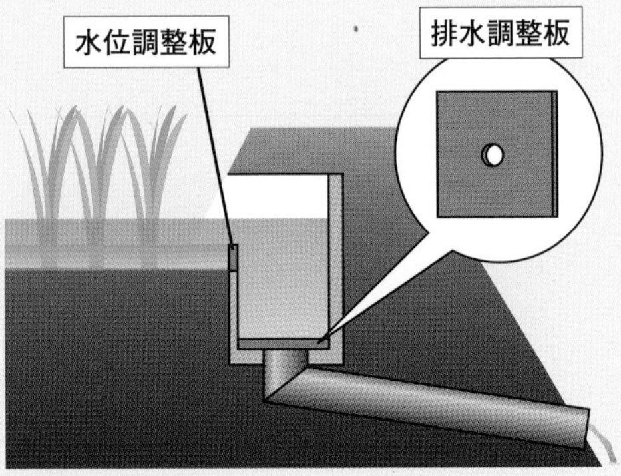

写真提供：新潟県

立板式

写真提供：新潟県

排水枡に縦溝が切られ、この溝に水位調整板を取り付けるタイプ。溝が２つ以上あれば、水位調整板の奥に排水調整板を設置し、水位調整と排水量調整の機能を分離できます。１つの溝に水位調整板といっしょに差し込める、縁が薄いロート型の排水調整板も市販されています。

溝が2本の排水枡の場合

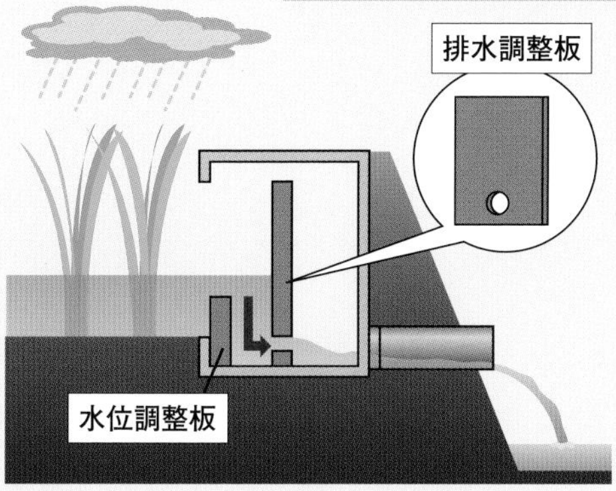

溝が1本の排水枡の場合

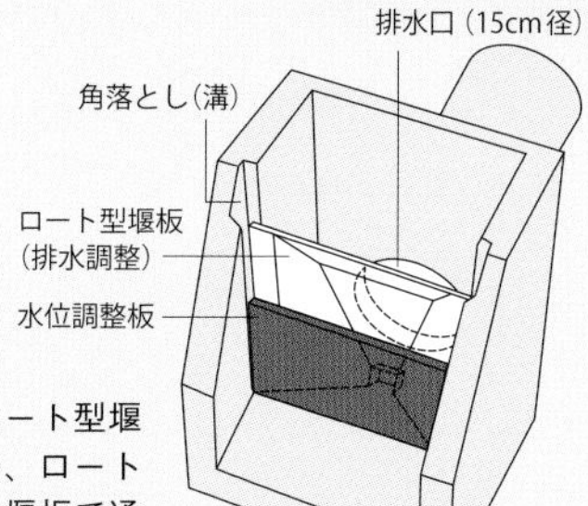

排水枡の溝に水位調整板とロート型堰板を設置。機能分離型のため、ロート型堰板を付けたまま、前面の堰板で通常どおりの水位調整ができる

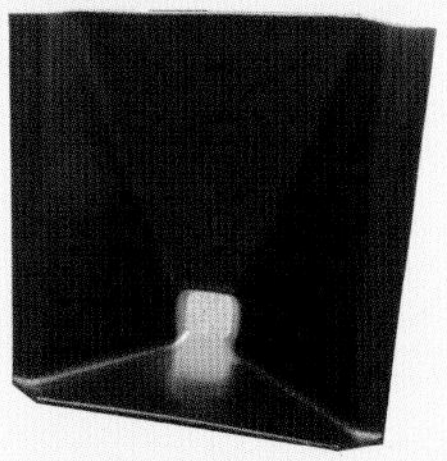

ポリエチレン製のロート型堰板。宮城県古川農業試験場と東北興商㈱の共同開発

フリードレーン式

フリードレーン管に田んぼダム用のアタッチメントを付けて使用（新潟大学吉川教授開発）。アタッチメントの排水口は漏斗状に絞られているので、小雨のときは、水位管理に影響せず、大雨のときは排水量を抑制します

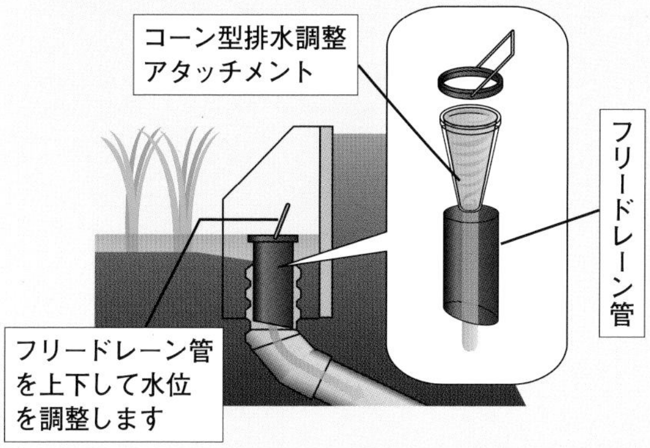

田んぼダムの設置や維持管理はどうする?
～設置の手順と維持管理の費用～

流域治水の一環としての田んぼダムは、地域ぐるみで取り組んでこそ大きな効果を発揮します。設置に向けてどのような手順で取り組むとよいのでしょうか。

田んぼダム設置の手順

① 合意形成と田んぼの選定

まずは、活動組織内で田んぼダムに取り組むための合意形成を行ないましょう。その上で、次のような条件に当てはまる田んぼを土地改良区または集落の単位で選定しましょう。

田んぼの選定基準

- 過去に雨による洪水被害が生じた河川流域
- 幹線排水路等の下流域で洪水被害の発生が予想される区域

② 畦や排水枡の点検と補修

実施する田んぼについて、大雨時に貯水量を確保できそうかどうか点検します。畦がやせている場合は、畦の幅や高さはともに30㎝程度を目安に補修を行ないましょう。排水枡は排水口に詰まりがないか、水位調整板に破損がないかなどを点検し、不備がある場合には補修しましょう。排水枡が設置されていない田んぼには設置することをお勧めします。

(注) こうした補修や設置にかかる費用は多面的機能支払の交付金で賄うことができます（15頁「田んぼダムQ&A」参照）。

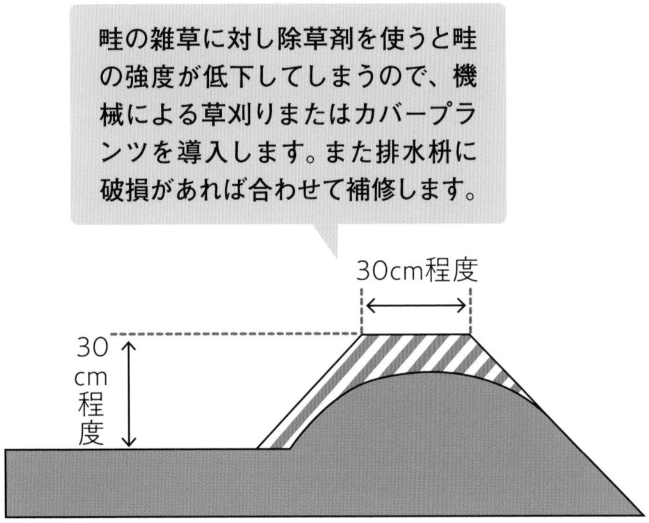

畦の補修の目安

高さ、幅30㎝程度に補修する

トラクタによる畦の補修

③ 排水調整板の設置

排水枡に排水量を調整する板などを設置します。大雨時にわざわざ設置したり、その後外したりする仕組みは、普及が見込めません。農家に営農作業以外の手間を要求することのない仕組みづくりが重要です。６～７頁に紹介している方式の場合は、小さな雨では排水を抑えることはありませんので、通常時から排水調整板を設置したままでも問題ありません。ただし、大雨時に田んぼのダム効果が発揮されるように、すべての田んぼに排水調整板が設置されているか、定期的に点検する必要があります。

排水調整板の設置

日常の維持管理が不可欠

田んぼダムの機能をしっかりと発揮させるには日常の管理作業が欠かせません。これに係る費用は公的な資金を活用することができるため、農家の負担を最小限に留めることができます。

多面的機能支払交付金には田んぼダムの推進に関するメニューがあり、設置費用や維持管理費用に交付金を使うことができます。2021年度からは「水田の雨水貯留機能の強化の推進」の加算措置（水田400円／10a、5年以上の継続組織300円／10a）も始まっており、畦の補修などに活用できます。

※北海道の加算措置は300円／10a、5年以上の継続組織240円／10a

畦の草刈り

田んぼダムの維持管理に要する年間作業時間と費用の例（50aあたり）

作業内容	作業時間	費用換算
調整板の設置確認	1.5分	20円
畦畔・排水枡の補強	23.6分※	700円
調整板の撤去	3.4分	150円
広報活動	0.4分	5円
合計	29分	875円

※うち、軽トラック使用が７分間

主な経費は畦畔や排水枡の補修である

田んぼダムの設置ルールを策定し、維持管理作業にも交付金を活用
―栃木県小山市・思川《おもいがわ》西部農村環境保全会

栃木県の南部に位置し、ほぼ平坦な地形が広がる小山市。この地で2014年、思川西部土地改良区内の26集落1,450戸がまとまり広域組織として設立された思川西部農村環境保全会は、市の南西部に位置する農地1,840haを管理しています。

豪雨被害をきっかけに田んぼダムを推進

小山市の農地の多くは一級河川の思川と巴波《うずま》川に挟まれており、2015年9月に発生した「関東・東北豪雨」の際は、同土地改良区内でも1mを超える湛水被害が約100haにも及び、また1週間ほど続きました。

これをきっかけに、保全会では多面的機能支払交付金を使った防災対策を検討し、田んぼダムに取り組むことを決定。16年には田んぼダムの先進地・新潟で研修を重ね、使い勝手や設置後の維持管理を考え「軽量落水枡」（6頁上写真参照）の設置を決定。その後1年をかけて効果を検証しました。その上で17年度から5カ年計画で3,000基の落水枡を設置することを目標としています。

2015年9月の関東・東北豪雨では、「50年に1度」（3日間で総雨量325mm）で、住宅（1,525棟）や道路、農地が浸水被害を受けた

田んぼダム設置で浸水被害なし

設置数は、初年度560基（206ha）、2年目546基（197ha）、3年目425基（156ha）から現在（21年）までに2177基（約800ha）と順調にすすんでいます。現状でも豪雨時の効果は十分に期待でき、17年の台風21号（総雨量175mm）や19年の東日本台風（総雨量218mm）の際も、関東・東北豪雨ではあふれていた排水路がスムーズに流れ、下流での浸水被害もありませんでした。

集落に均等配布で設置をスピードアップ

設置にあたっては、15年の豪雨被害が大きかった南側エリア14集落の農地（1,193ha）から優先して進めました（北側エリアは20年度から設置開始）。本来であれば、上流の集落から順番に設置するのがよいものの、集落全体で合意形成を図るには時間がかかるため、14集落すべてに毎年50基ずつ軽量落水枡を配布。設置する田んぼは集落内で決めてもらうことにして、設置のスピードアップを図りました。

田んぼダムの設置ルールを策定

設置にあたり、保全会では以下の通り「田んぼダム（落水枡）設置の基本方針」を策定し、集落間のルールを統一しました。

(1) 設置数は、30a未満は1カ所、30～60a未満は2カ所、60a～1haは3カ所とする。

(2) 設置作業を個人で行なう場合は1基当たり1,000円の労賃、業者に頼む場合は1基当たり5,500円の委託料を交付金から支給する。

(3) 設置する田んぼの畦の高さは20cm以上とする。

(4) 水位調整用の堰板は通年で設置する（ただし、ムギ・ダイズなど転作作物を栽培する田んぼで排水障害を起こす場合は常時設置を免除）。

（注）同保全会が採用する「軽量落水枡」は機能分離型で、堰板を常時設置したままでも中干し時の排水にまったく支障はない。

上：排水口がある畦を掘って田んぼダムの装置（落水枡）を設置する
下：軽量落水枡（東北興商株式会社）は、水位調整と排水量調整の堰板が分れている。ポリエチレン製で5kgと軽く、1基1万5,000円ほど。

田んぼダムの設置は自主施工で行ない、日当は交付金から支払う

田んぼダムの管理に１基500円支給

現在、田んぼダム（落水枡）を設置している農家のなかには30～50基の落水枡を管理する大規模法人や個人の担い手もいます。保全会では、こうした農家と田んぼダムの管理に関する覚書を交わし、管理費として毎年１基当たり500円を交付金から支払っています。

わずかな金額ですが、日々の水管理のついでに落水枡の点検や清掃を行なってもらうきっかけになっており、おかげで心配していたワラや刈り草による排水口の詰まりなど、大きなトラブルは起きていません。

畦塗りにも交付金（加算分）を活用

21年度から、多面的機能支払交付金の資源向上支払（2400円／10a）に「水田の雨水貯留機能強化（田んぼダムの推進）」が新たに加わり、取り組み面積に応じて10a当たり400円が加算されます。

これを受けて、保全会では田んぼダムの管理に欠かせない畦塗りを「水田の貯留機能の維持管理作業」と位置付け、その労賃に交付金の加算分を充てる予定です。また、今後は保全会内に見回り・点検チームをつくり、運用面も充実したいと考えています。

田んぼダムを始めて５年以上過ぎ、農家の間には田んぼダムで地域を守っているという自覚が広がってきています。

（『季刊地域』2021年春号掲載記事を再編集）

畦のかさ上げで貯水量アップ、作業の委託料にも交付金を活用
―山形県新庄市・塩野地域資源保全会―

山形県の北東部、最上《もがみ》川の中流域に位置する山形県新庄市。塩野地域資源保全会は、この最上川の支流・鮭川に合流する泉田川沿いにある塩野集落の38戸（うち農家36戸）によって、2007年に設立されました。

排水路の課題解決のために田んぼダム実施

当地は1960年代の泉田川農業水利事業により農業用ダムや幹線水路が整備されたものの、排水路が１カ所に集中していることから大雨のたびに末端部分で水があふれ出し、浸水被害が起きていました。そのため、保全会では多面的機能支払交付金の「防災・減災力の強化」のメニューを選択し、2014年度から「田んぼダム」の取り組みを開始。20年度には600枚の水田（108ha）で田んぼダムを実施しています（計240万円ほどの交付金を充当）。

畦強化作業の委託料に交付金を活用

田んぼダムを機能させるには、しっかりとした

畦づくりが欠かせません。保全会では、田んぼの貯水機能を向上させるため、畦の高さを通常の畦より5～10cmかさ上げし、30cmとすることにしました。

農家ではトラクタに畦塗り機を取り付けて畦を補強したり、長年の転作により畦が傷んでいる場合はバックホーを使って補強しています。機械を持たない農家の場合は、塩野営農会のオペレーターに委託して行ないますが、その委託料（約30aの水田1枚当たり4000円）は多面的機能支払交付金から出しています。

2018年の最上・庄内の大雨時には田んぼダムが効果を発揮し、排水路が水で溢れるのを防いだ

総会時に意義を再確認し、被害を防止

6月中旬の中干し以降、収穫までは間断かん水となります。この時期に田んぼに水が貯まることに抵抗感をもつ農家もいるはずですが、そこは小さい活動組織なので、毎年の総会で田んぼダムの役割を再確認して全体の意識を常に高めています。そのため、時期によらずに豪雨時は、排水口から徐々に排水するように皆が努めています。

バックホーで転作田の崩れた畦をかさ上げ。上幅50cm、高さ30cm目安に成形

実際18年8月に新庄市が24時間雨量268mmという未経験の豪雨に見舞われた時も、地元の土地改良区がダムからの取水を止めるなど迅速に対応するなか、田んぼダムも2日間にわたって大量の雨水の流出ピークをカットしました。そのおかげもあり、排水路末端で水が溢れたり、周辺住宅が浸水したりする被害を回避することができました。

その成果を見た近隣の活動組織でも、田んぼダムの取り組みが広がりつつあります。

（『季刊地域』2021年春号掲載記事を再編集）

畦畔の排水口にコンクリート枡を設置。枡の溝に堰板を入れて水位と排水量を調整する

ここが疑問！

田んぼダム Q＆A

Q 貯水するための畦の管理はどうする？

A 管理のポイントは畦塗りと草刈りで、ともに交付金活用が可能

田んぼに水を貯めることで畦が崩れることを心配する人もいるかもしれませんが、そのような事例はこれまで皆無です。とはいえ、田んぼに雨水をしっかりと貯め込むためには、畦の管理が欠かせません。以下の点に注意してしっかりと管理を行ないましょう。

①ネズミやザリガニなどが畦に穴を開けると十分な貯留ができないので、畦塗りはしっかりと行なう。なお、畦の高さは新庄市の塩野地域資源保全会のように30cmを標準として整備する地域もあるが、栃木県小山市の思川西部農村環境保全会では20cmとしている。

②畦の雑草は除草剤を使って根絶やしにすると、畦が崩れやすくなったり、水漏れしたりする原因になるため、除草剤は使わずに年3回程度刈り払いをする。

新潟県の見附市広域協定では、田んぼの畦塗りを担い手農家に請け負ってもらい、多面的機能支払交付金で1m当たり50円の作業委託料を支払っています。畦塗りによって頑丈な畦ができると、自走式モアを使って草刈りが楽にできます。また、同広域協定では、6～8月に畦の草刈りを2回以上した人には交付金から日当が支払われます。

Q イネの生育や収量への影響はないのか？

A 水深は最大十数cm。影響はありません

結論からいうと、田んぼダムを実践することでイネの生育や収量に影響することはありません。

現在、田んぼの水量を調整する方法（装置）としてはいくつかありますが、水位を調整する堰板と排水量を調整する排水調整板を排水枡に別々に設置する「機能分離型」の装置を使った場合、田んぼダムの機能が作動するのは、多くて1～2年に1度程度。仮に30年に1度あるような大雨（170mm/日）が降ったとしても、水田の最大水深は十数cm程度です。

イネが減収するのは主に穂ばらみ期以降の浸水が原因とされますが、十数cm程度の水位で穂が水に浸かることはありません。

Q 田んぼダムを導入した農家の率直な声は？

A 営農への影響はなし。むしろ水管理がラクに！

前出（10～12頁）の思川西部農村環境保全会の方々の声を紹介します。

▶青木さん（72歳、水稲30a）

畦の強度を保つため、除草剤は使わずに刈り払い機で年3回以上刈っている。軽量落水枡を設置して4年目になるけど、水漏れはないし、米の品質や収量も変わりません。

▶篠原さん（72歳、水稲8ha・大麦11ha）

代かきのとき、排水調整板の穴にイナワラや前作のムギワラが詰まりやすい。水を少なめにし

た代かきでワラをよくすき込んだり、代かきのときはワラが流れ込まないように水位調整板を高くしたりして防いでいる。米づくりに影響はないよ。むしろスライドする水位調整板がついているおかげで水管理がずいぶんとラクになった。

Q 中干しの時期に通常の雨でも水が貯まらないか心配！

A 水位調整と排水調整の機能が分離された装置を使えば問題なし

排水枡に堰板を差し込んで水位調整をしている場合、機能分離型の装置（図）では排水調整用の板を別に差し込む形になります。この装置の場合、排水枡開口部の幅は調整板の設置有無に関わらず変わりないので、通常の雨（小雨）程度では水田内に雨水はたまらず、そのまま排水枡から排水されます。一方、大雨が降った場合には、図のように排水枡にも雨水が貯まって水位が上がり、その水は排水調整板の小さな穴から少しずつ排水されるため、田んぼダムの機能が働くことになります。

機能分離型の装置

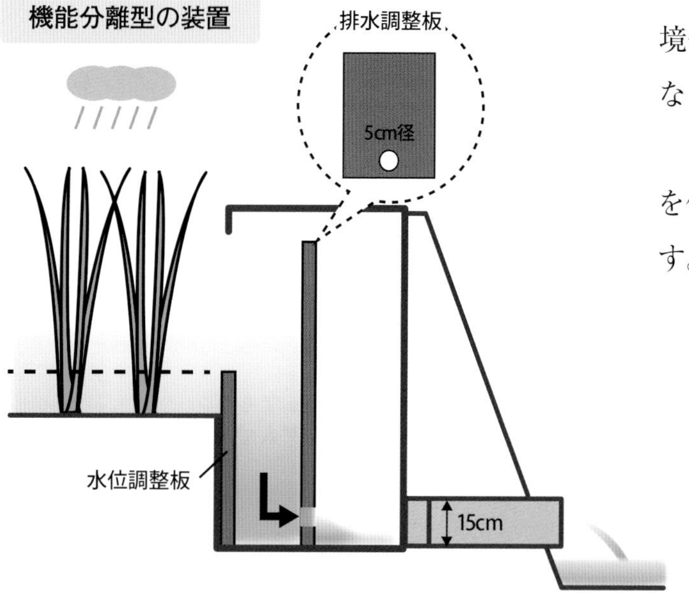

以上のことから、中干し期でも余計な手間をかけず、いざ大雨時には田んぼダムの機能がしっかり働くためには、機能分離型の装置を設置することをお勧めします。

Q 田んぼダム（装置）の設置費用は１基あたりどれくらい？

A 排水装置のタイプで異なりますが、交付金で負担が可能

田んぼの排水装置にはいろいろなタイプがあるので、費用については現状の排水がどのように行なわれているかによります。

排水枡をすでに設置している場合には、追加で排水調整用の板を設置するだけで済むため、1カ所当りにかかる費用は500～3,000円程度です。一方、塩ビ管などで排水している場合は、排水枡の設置費用も含めると2万円程度かかります。田んぼの大きさによって排水口の数が変わりますが、10頁で紹介した栃木県小山市の思川西部農村環境保全会の場合は、30aに排水口1箇所が標準となっています。

なお、これらの費用は、多面的機能支払交付金を使えば、地元負担ゼロで設置することが可能です。

ISBN978-4-540-21210-9

C2061 ¥600E

定価660円（本体600円）

多面的機能支払　活
流域治水で水害に　　私たちの地域と農業

2021年8月31日

監修　吉川夏樹(新潟大学農学部教授)

発行　一般社団法人　農山漁村文化協会　〒107-8668 東京都港区赤坂7-6-1
03-3585-1142(営業)　FAX：03-3585-3668

参考文献　国土交通省『総力戦で挑む防災・減災プロジェクト』
写真提供　冨田きよむ　曽田英介　新潟県　思川西部農村環境保全会　塩野地域資源保全会

9784540212109

1922061006007